Este libro es para mi madre

Título original: SUPER HAIR-O AND THE BARBER OF DOOM

Copyright © 2013 por John Rocco

La edición original fue publicada en Estados Unidos y Canadá por Disney * Hyperion Books

Traducción del inglés: Clara Garcia Pujol

Primera edición en castellano para todo el mundo © 2013 de la presente edición:

Tramuntana Editorial – c/ Cuenca, 35 – 17220 – Sant Feliu de Guíxols (Girona)

ISBN: 978-84-940475-6-5 – Depósito legal: GI 1177-2013 – Impreso en China.

SUPER HEROE

POR LOS PELOS Y EL BARBERO
MALVADO

por JOHN ROCCO

Tramuntana

Cada superhéroe recibe sus poderes de alguna parte.

Photon man tenía su anillo. **Robo girl** tenía sus brazos biónicos.

Mis superpoderes venían de mi cabellera.

Cuanto más crecía mi pelo,
más **alucinantes** eran mis superpoderes.

Mis **amigos** también tenían superpoderes.

¡Y juntos éramos **imparables**!

Un día, mientras nos preparábamos

para nuestra próxima misión,

fui **capturado...**

y arrastrado hacia la **guarida del malo**.

pero el **muy bestia** me arrebató mis poderes.

Cuando finalmente escapé,
casi no podía ni llegar
a mi **refugio**.

Intenté
sustituir mis poderes,

pero nada funcionaba.

Ni tan siquiera mi **fiel compañero** me pudo ayudar.

De vuelta al **cuartel general**,

vi que a mis superamigos también
les habían robado sus poderes.

Lo intentamos todo para recuperar nuestra fuerza.

Pero no sirvió de nada.
Estábamos **acabados.**

Entonces, de repente,

descubrimos un pequeño héroe en peligro.

Los **poderes** volvieron a nosotros.

Y **pasamos a la acción**.

Una vez resuelta la situación,
estaba claro que incluso
sin nuestras cabelleras...

seguíamos siendo
¡SÚPER!